Princesse Zélina

Le poignard ensorcelé

D1015181

Bruno Muscat

Tout petit, il adorait se déguiser en chevalier et sauver les princesses avec son épée en plastique. Trente ans plus tard, Bruno Muscat est journaliste à *Astrapi*. Raconter des histoires est devenu son métier, et les châteaux forts le font toujours autant rêver.

Édith est illustratrice. Elle est connue depuis 1990, quand elle a publié la série *Basile et Victoria*, qui a reçu l'Alph-Art, un des plus prestigieux prix de bande dessinée français. Elle travaille aussi beaucoup avec les éditeurs jeunesse, tant sur des albums que sur des livres de fiction.

BRUNO MUSCAT • ÉDITH

Princesse Zélina

Le poignard ensorcelé

BAYARD POCHE

Prologue

$\mathcal{M}$ême si le beau Malik est
le fils d'Otto de Loftburg,
l'ennemi juré de son père le roi
Igor de Noordévie, la princesse Zélina ne peut
pas s'empêcher de l'aimer.

La reine Mandragone, belle-mère de Zélina,
n'a qu'un rêve : que Marcel, son fils chéri,
règne un jour sur la Noordévie. Elle est prête
à tout pour cela, même à
éliminer l'innocente
princesse. Zélina parvien-
dra-t-elle une nouvelle fois
à échapper aux machina-
tions de la terrible reine et
de son démon Belzékor ?

Les silences de Malik

Les trompettes résonnèrent dans la majestueuse salle d'honneur de l'université d'Obéron. Un homme en costume annonça d'une voix claire :

— Sa Majesté le roi Igor de Noordévie et son Altesse la princesse Zélina !

Tous les professeurs et les étudiants s'inclinèrent respectueusement devant le souverain et son adorable fille. Pomponnée et parfumée, Zélina était rayonnante dans sa belle robe de soie brodée, rehaus-

sée de dentelles aériennes. Pour la première fois, son père l'avait conviée à la cérémonie d'ouverture officielle de l'année universitaire, et elle allait enfin revoir son cher Malik. Elle en frétillait d'impatience…

Malik… La jeune fille et son amoureux ne s'étaient pas revus depuis leur retour de l'île d'Ysambre, plus d'un mois auparavant. Cinq semaines, trente-sept jours précisément… Que le temps avait semblé long à la princesse amoureuse ! Bizarrement, depuis que le jeune homme lui avait avoué son secret, cet été, Zélina se sentait libérée d'un poids terrible. Bien sûr, aimer le fils de l'ennemi juré de son père n'était pas facile, mais au moins, maintenant, elle savait. Rien n'était plus douloureux que de ne pas savoir… Zélina aperçut son Malik au premier rang devant l'estrade. Qu'il était beau ! Elle ne put s'empêcher de lui sourire alors qu'Igor prenait la parole :

– C'est avec beaucoup de plaisir et de fierté que, tous les automnes, je viens vous rendre

visite… Depuis ces murs vénérables, savants professeurs et brillants élèves, vous faites rayonner la
grandeur de notre chère Noordévie bien au-delà de
ses frontières…

Une salve d'applaudissements salua le discours
du roi. Mais, depuis quelques minutes, Zélina
n'écoutait plus son père. Elle songeait au moment
où elle pourrait retrouver son ami. Comment faire
pour s'éclipser tous les deux sans attirer l'atten-
tion ? La princesse s'arracha à ses pensées au
moment où Igor se tournait vers le professeur
Zaragut, le directeur de l'université :

– Maître Zaragut, chers professeurs et chers

étudiants, je déclare officiellement la nouvelle année universitaire ouverte !

Les vivats redoublèrent ; les bérets des étudiants volèrent dans les airs. Igor surprit le regard rêveur de sa fille :

– Leur enthousiasme fait plaisir à voir, n'est-ce pas, ma chérie ?

Les yeux perdus dans les entrelacs des lambris dorés, Zélina saisit la main de son père.

– Cet endroit est tellement magnifique ! J'aimerais bien le visiter…

Le roi sourit. Il ne pouvait rien refuser à sa fille !

– Professeur Zaragut, pourriez-vous demander à l'un de ces jeunes gens particulièrement méritant de faire découvrir à ma fille votre splendide établissement ?

– Certainement, sire…

Depuis que Zélina l'avait sauvé des griffes du terrible dragon* du mont Inferno, le vénérable

---

* Voir le tome 4 : *Prisonniers du dragon.*

professeur n'ignorait rien des doux liens qui unissaient la princesse et Malik, et ce fut tout naturellement qu'il désigna ce dernier. Malik s'inclina devant Zélina :

– Votre Altesse, c'est un grand honneur pour moi...

Alors que tout le monde se dirigeait vers le grand réfectoire où étaient servis les rafraîchissements, les deux amoureux s'éloignèrent de la foule. Zélina était aux anges. La main dans celle de son

bel étudiant, elle se laissa entraîner avec délice dans le dédale des couloirs et des salles de classe. Ils pénétrèrent dans la galerie d'anatomie comparée. Celle-ci était déserte, hormis les milliers de squelettes d'animaux qui la peuplaient silencieusement…

– Enfin seuls! chuchota la princesse.

Mais alors qu'elle s'apprêtait à se blottir contre la poitrine de son aimé, elle s'aperçut qu'une ride inquiète barrait son front.

– Malik, vous avez l'air soucieux…

Le jeune homme fixa un fossile biscornu.

– Non, non… Tout va bien…, prétendit-il, alors que tout dans son attitude disait le contraire.

– Vous êtes sûr?

– J'en suis sûr! répondit-il, un peu brusque.

La princesse fronça les sourcils : qu'est-ce qui pouvait donc occuper l'esprit de Malik et l'empêcher de profiter de ce moment pourtant si rare?

Elle plongea ses grands yeux d'émeraude dans ceux du jeune prince :

– Est-ce que vous m'aimez ?

– Évidemment que je vous aime, ma princesse.

– Alors, redites-le-moi…

– Je vous aime…, répéta-t-il avec un sourire.

Mais Malik semblait excédé. Zélina en fut troublée et blessée. Elle sentait bien que Malik avait l'esprit ailleurs. La princesse n'osa pas insister…

Ambre a des doutes

De retour au palais, Zélina s'empressa d'entraîner Ambre dans son boudoir pour lui raconter l'étrange tête-à-tête avec son amoureux. Elle en était encore toute bouleversée.

– Moi qui me faisais une telle joie aujourd'hui de le retrouver…

La jeune suivante se tortilla sur le velours vert du canapé :

– Euh… et vous êtes sûre des sentiments de Malik ?

Zélina leva les yeux au ciel :

— Quand même, Ambre, comment peux-tu en douter ?

— Les garçons, Mademoiselle… Vous savez, on ne peut pas toujours leur faire confiance !

La princesse haussa les épaules : qu'est-ce qu'elle en savait, cette oie blanche ? Avait-elle aimé ne serait-ce qu'une fois dans sa vie ? Zélina toisa sa demoiselle de compagnie.

— Que connais-tu à l'amour, ma pauvre Ambre ? Je ne parle pas de petites amourettes avec les écuyers de papa ! Je parle du vrai Amour, avec un A majuscule. Malik et moi, nous sommes faits l'un pour l'autre. Je lui appartiens corps et âme, comme lui-même m'appartient tout entier !

Un peu vexée, Ambre grommela :

— Pourtant, Altesse, d'après ce que vous m'avez raconté, Malik avait un comportement très bizarre cet après-midi. On aurait dit qu'il n'était pas ravi de vous voir…

La jeune fille avait visiblement touché un point

sensible : la princesse se leva d'un bond et fusilla
sa demoiselle de compagnie du regard :

– Que veux-tu insinuer ? Je suis certaine que
Malik n'a d'yeux que pour moi !

Le ton n'était plus si assuré, Ambre
le sentit bien. Elle s'en voulut un peu
d'avoir ainsi semé le doute dans
l'esprit de sa maîtresse, mais
après tout, celle-ci devait
bien regarder la

réalité en face. La jolie princesse accusa le coup. Elle se rassit sur le canapé, pâle et tremblante. De grosses larmes envahirent ses beaux yeux verts, et elle murmura dans un souffle :

— Si je devais perdre Malik… eh bien, je crois que je ne voudrais plus vivre !

Honteuse, Ambre prit la main de son amie entre les siennes :

— Il ne faut jamais dire ce genre de choses, Mademoiselle… Jamais !

Tapi de l'autre côté de la porte du boudoir, Belzékor se frotta les mains avec un air gourmand. L'oreille collée contre le panneau de bois doré, le démon n'avait rien manqué de la discussion entre la princesse et sa demoiselle de compagnie. Malik ? Ce nom lui rappelait vaguement quelque chose… Il se gratta la tête avec son doigt crochu. Puis son œil brilla d'un éclat malsain, et sa bouche se tordit en un rictus démoniaque. Oui, il se souvenait maintenant : c'était le nom de ce petit freluquet insignifiant, de ce misérable étudiant qui avait involontairement fait capoter tous ses plans, cet été à Ysambre. Ainsi donc, la petite péronnelle s'était amourachée de ce moins que rien ? Et elle semblait prête à mourir pour lui. Voilà qui lui ouvrait des perspectives bien intéressantes…

Rendez-vous nocturne

Belzékor décida aussitôt d'aller espionner Malik. Si les doutes de cette petite sotte d'Ambre se révélaient fondés, il y avait peut-être là un bon coup à monter. Et, comme sa maîtresse Mandragone semblait l'avoir un peu pris en grippe ces derniers temps, toute occasion de redorer son image était bonne à prendre.

Après un détour par les cuisines, où il remplit ses poches de petits pâtés parfumés, Belzékor

quitta le château à la tombée du jour. À cette heure, les étudiants devaient sortir de cours. En effet, il n'eut aucune difficulté à retrouver Malik sur les marches de l'université. Mais qu'est-ce que la princesse pouvait bien trouver à ce garçon insipide ? On ne sentait pas en lui la moindre once de malice ni de méchanceté… Pouah ! Enfin, ce n'était pas son problème.

Le démon sortit un pâté de sa poche, y mordit
à pleines dents et se glissa discrètement dans l'ombre du jeune homme, qui traversa la ville d'un bon
pas. Malik était visiblement tendu, et il n'arrêtait
pas de se retourner, comme pour s'assurer que personne ne le suivait. Mais Belzékor savait se faire
invisible.

– Tiens, tiens, tiens…, marmonna le nabot en

chassant les miettes de pâté incrustées dans sa barbe. Ce jeune homme n'a visiblement pas la conscience aussi tranquille qu'on aurait pu croire…

Arrivé au pied du beffroi, l'étudiant regarda une dernière fois derrière lui ; puis il s'engouffra dans la grande tour par une porte dérobée. Belzékor leva les yeux au ciel en grimaçant. Il n'allait quand même pas monter par l'escalier… Le démon ferma les yeux, ses lèvres s'écartèrent un peu et laissèrent échapper quelques syllabes à peine audibles. Un léger halo vert enveloppa son corps, et Belzékor se transforma en lézard…

Le reptile posa une patte sur la pierre chaude, puis une autre. Satisfait, il s'élança alors le long de la haute paroi du clocher, qu'il escalada sans peine. Sur la terrasse, Belzékor retrouva le jeune homme, qui faisait les cent pas. Il paraissait attendre quelqu'un…

En effet, peu après, une gracieuse silhouette émergea à son tour de l'ombre de l'escalier. Le regard de Malik s'illumina, une magnifique jeune femme aux longues boucles blondes, à peine plus âgée que l'adolescent, se précipita dans ses bras. Malik la serra contre lui.

– Ô, mon Malik… Si tu savais combien tu m'as manqué…

– Que c'est bon de te retrouver enfin !

L'inconnue couvrit Malik de baisers. Le jeune homme éclata de rire :

– Arrête… Tu vas finir par m'étouffer !

Le démon jubila. Ce qu'avait suggéré Ambre était vrai ! Cette trahison allait définitivement briser le cœur de la petite princesse ! Il ne restait qu'à trouver le moyen de lui annoncer cette nouvelle au plus tôt avec le moins de ménagements possible. Mais comment ?

En tout cas, l'infâme lézard en avait assez vu. Il glissa vers le pied du beffroi, où il reprit son apparence de démon. Il regarda la lune :

– Astre du soir, je t'en prie, inspire-moi !

La lune ne daigna pas lui répondre, et Belzékor décida que la meilleure chose à faire était de rentrer sans tarder au palais.

Au bout de la lunette

De retour au château, Belzékor alla faire un petit tour sur les remparts. L'air frais du soir lui donnait souvent de bonnes idées. En posant négligemment la main sur son manteau, le démon sentit sous ses doigts un dernier pâté, qu'il extirpa du fond de sa poche.

– Mmm ! fit-il en tâtant le petit chausson d'un air gourmand. Voilà qui devrait m'aider à réfléchir !

Tandis qu'il plantait ses affreuses canines dans

le pâté, le nabot aperçut Zélina à l'autre bout du chemin de ronde. La princesse, qui se dirigeait vers lui sans le voir, semblait très contrariée.

– Tiens, tiens… La peste prend l'air, marmonna-t-il en mastiquant. Si elle savait ce qui se passe en ce moment sur le beffroi !

C'est alors que l'immonde conseiller de la reine Mandragone eut une illumination.

– Mais, pour qu'elle le sache…, il suffit de le lui montrer !

D'un claquement de doigts, Belzékor fit apparaître une superbe lunette astronomique. Il en astiqua le cuivre avec le revers de sa manche avant d'y coller son œil globuleux d'un air inspiré.

Zélina était maussade. Ambre avait réussi à semer le doute dans son esprit ; et il n'y a rien de pire que le doute pour quelqu'un qui aime.

— Bonsoir, Altesse, susurra Belzékor lorsqu'elle fut arrivée à côté de lui.

La voix du démon fit sursauter la princesse.

— Oh, excusez-moi…, dit-elle. Je ne vous avais pas vu, monsieur Belzékor.

— Saviez-vous que la lune ressemble à un gros gruyère plein de trous ?

Zélina esquissa un triste sourire :

– Si vous le dites…

– Vous voulez regarder ?

Malgré l'aversion qu'elle éprouvait pour le petit homme, Zélina accepta et posa son œil contre la lunette. Au moins, voilà qui allait lui changer les idées.

– J'ignorais que vous vous intéressiez à l'astronomie, monsieur Belzékor.

– Ah…, soupira le démon en levant les yeux au ciel. Nous avons bien peu d'occasions de discuter ensemble. Pourtant, cela nous permettrait de dissiper tant de malentendus !

Zélina fit une petite moue. Décidément, ce monsieur Belzékor était bien étrange. Mais peut-être avait-il raison, après tout ?

– C'est vrai que la lune est magnifique, ce soir… Et peut-on voir d'autres choses avec votre lunette ?

– Bien entendu… Le ciel est à vous, roucoula le démon en posant la main sur la longue-vue, prêt

à la faire basculer vers la tour où le cher Malik faisait le joli cœur devant sa nouvelle conquête.

Une bouffée de nostalgie envahit Zélina. Son prince adoré, lui aussi, observait les étoiles la première fois qu'elle l'avait rencontré. Il était si beau, cette nuit-là, sur la terrasse du clocher de l'hôtel de

ville… Peut-être, d'ailleurs, s'y trouvait-il encore ce soir ?

– Monsieur Belzékor, pourriez-vous pointer votre lunette sur le clocher de l'hôtel de ville, s'il vous plaît ?

Le démon n'en crut pas ses oreilles. Mais il se reprit instantanément : l'occasion était trop belle ! De ses doigts crochus, il guida le bout de sa lunette au-dessus des toits d'Obéron. Et, lorsque la longue-vue fut pointée sur la terrasse du beffroi, Zélina eut un terrible choc.

Jalouse!

La jeune princesse eut un mouvement de recul et se frotta les yeux. Ce n'était pas vrai, elle avait rêvé! Quand elle reposa son œil contre la lentille glacée de l'oculaire, Zélina fut toutefois obligée de se rendre à l'évidence : c'était bien Malik qu'elle venait de surprendre en galante compagnie sur la terrasse du beffroi. Le doute n'était plus permis! Se sentant défaillir, la jeune fille posa la main sur le muret et resta immobile un instant. Elle était secouée.

L'infâme Belzékor demanda mielleusement :

– Vous ne vous sentez pas bien, Mademoiselle ?

Zélina articula avec difficulté :

– Non… je… ça… ça va, merci…

En vérité, elle titubait comme si une main gigantesque avait plongé dans sa poitrine pour lui arracher le cœur. Belzékor ne la quittait pas des yeux. Il se frotta discrètement les mains ; l'issue fatale n'allait plus tarder. Encore quelques secondes, et la délicate demoiselle, désespérée, se jetterait dans le vide, exactement comme il l'avait prévu… Sa maîtresse serait enfin débarrassée d'elle !

Mais, au grand dam du démon, Zélina se redressa, l'œil noir. Au fond de son être, elle sentit poindre un étrange sentiment qu'elle n'avait jamais éprouvé jusqu'alors, un mélange subtil de dépit, de colère et de douleur… Était-ce cela que l'on appelait la jalousie ?

D'un geste brusque, elle renversa la lunette astronomique sur un Belzékor médusé :

– Sans votre engin de malheur, je n'aurais

jamais rien su de tout cela !

Le nabot n'eut pas le temps de protester qu'elle avait déjà pivoté sur ses talons et s'éloignait sur le rempart.

Dans les couloirs du palais, alors qu'elle essuyait les grosses larmes qui coulaient sur ses joues, elle croisa le prince Marcel, son imbécile de demi-frère. Celui-ci, qui ne perdait jamais une occasion de taquiner la princesse détestée, lui lança, goguenard :

– Alors, la peste a un gros chagrin ?

Pour toute réponse, Marcel reçut une gifle

magistrale, qui le laissa sans voix.

La princesse monta quatre à quatre le grand escalier, s'enferma dans sa chambre et s'effondra sur le fauteuil de sa coiffeuse. Tout était si confus dans sa tête! Elle regarda son reflet dans le miroir :

– Mais… mais qu'est-ce qu'elle a de plus que moi cette… cette…

Zélina n'avait fait qu'apercevoir la nouvelle conquête de Malik. Les mots lui manquèrent pour qualifier sa rivale.

– Cette…

Tout ce qu'elle avait vu, c'étaient les longs cheveux clairs qui recouvraient ses épaules.

– Cette… cette espèce de dinde décolorée!

D'un geste violent, le bras de Zélina balaya les peignes, les brosses et les flacons de parfum posés sur la petite table. Elle saisit à deux mains le pot de poudre qui avait miraculeusement échappé à son courroux et le lança de toutes ses forces contre le miroir. Sous le choc, la belle glace explosa en mille morceaux.

– Quel goujat! grommela la princesse. Mais comment ai-je pu aimer un tel cuistre?

Zélina fouilla nerveusement au fond de son armoire et en retira un paquet de lettres soigneusement attachées avec un beau ruban rouge. Elle arracha le ruban, puis déchiqueta les lettres soigneusement l'une après l'autre avant de piétiner les petits papillons de papier, qui voletèrent dans sa chambre.

– Grrr…, je te hais, Malik de Loftburg !

À bout de souffle, Zélina s'arrêta et serra rageu-
sement les poings. Un éclair traversa ses grands
yeux d'émeraude. Puis elle gronda entre ses dents :

– Tu n'es qu'un traître, et tu vas le regretter…

Mais, pour préparer sa vengeance, Zélina avait
besoin d'aide.

Le poignard de cristal

Belzékor reposa la fragile lunette sur ses pieds de bois. Zut, raté… Quelque chose ne s'était pas déroulé comme prévu, et la demoiselle se révélait plus résistante qu'il le pensait. Vite, il allait falloir trouver autre chose. Le démon tapota nerveusement le cuivre astiqué et agita son cerveau magnétique.

Ainsi donc, Zélina était jalouse. Ce trait de son caractère avait jusqu'alors échappé à Belzékor.

Voilà qui lui ouvrait une nouvelle piste ! Il réfléchit encore un instant et eut une illumination : et si la jeune amoureuse déçue venait à commettre l'irréparable ? Une princesse meurtrière serait à coup sûr éloignée du trône, et la voie deviendrait alors libre pour Mandragone et son cher Marcel. Ah, cet idiot se doutait-il seulement de ce qui se tramait dans l'ombre pour qu'il puisse un jour poser sur sa tête la couronne de Noordévie ? Non, certainement pas, et cela était mieux ainsi.

Le démon se retira dans son laboratoire, en haut de la plus haute tour du château. Il se précipita sur un antique grimoire poussiéreux, qu'il se mit à feuilleter fébrilement.

– Pacte démoniaque… Pal et supplices divers… Philtres et sorts maléfiques…

Entre ses doigts crochus, les pages défilaient à toute allure.

– Pierres ensorcelées… Ah, voilà : Poignard de cristal !

Belzékor ricana. Le poignard de cristal ! Il lut

avec avidité la courte notice écrite en lettres gothiques : «Le poignard de cristal déclenche et attise dans le cœur de celui qui le tient la plus terrible, la plus destructrice et la plus incontrôlable des haine» bla, bla, bla… Ah, voilà : «Responsable de plusieurs guerres et de nombreux massacres, il est la propriété d'Urtykor, démon des puits, des flaques et autres gouttières.»

Ce ballot d'Urtykor! Belzékor eut un sourire plein de condescendance. Avec un peu de persuasion, ce vieux débris ne devrait pas faire trop de difficultés pour lui prêter son précieux trésor!

Belzékor descendit dans la cour. Accoudé négligemment à la margelle du puits, il appela discrètement :

– Psstt… Urtykor ?

Personne ne répondit. Il haussa le ton, un peu

énervé.

— Urtykor ? Tu es là ?

Toujours rien.

— URTYKOR !

— Je ne suis pas sourd, répondit une voix sépulcrale alors qu'une main décharnée attrapait la manche de Belzékor.

Le démon Urtykor se hissa hors du puits. C'était un grand échalas aux yeux vitreux et au teint blême, couvert de loques.

— Que me veux-tu, vermisseau ?

— Ça me fait plaisir de te voir, mon cher ami…, s'exclama Belzékor avec enthousiasme. Toujours fringant et tiré à quatre épingles…

— Viens-en aux faits.

— Voilà… Je me demandais si tu pouvais me prêter ton beau poignard…

Urtykor fixa Belzékor de ses yeux vides et secoua la tête :

— Pas question.

Belzékor ne se démonta pas :

— Je ne suis qu'un misérable démon, et toi un seigneur parmi les maîtres des ténèbres. Oui, je suis un vermisseau, je le sais…

Il n'en pensait pas un mot ; mais il savait que nul n'est plus esclave de sa vanité qu'un démon.

— Je serais ton obligé pour l'éternité…

Le vieux démon, à contrecœur, finit par lui tendre son terrible poignard :

— Tu en prends le plus grand soin, hein, espèce de vaurien ?

Belzékor saisit le poignard à travers un grand carré de velours noir, et disparut dans la nuit sans un regard.

Urtykor haussa les épaules :

— Pff ! Aucune éducation, ces jeunes…

L'ombre noire

Belzékor fulminait : cet espèce de ruine d'Urtykor lui avait fait perdre un temps précieux! Le petit démon se faufila sans un bruit à travers les couloirs du palais jusqu'aux appartements de Zélina. À cette heure tardive, seule une faible chandelle éclairait encore le long corridor désert. Belzékor colla son oreille pointue contre la porte du boudoir de la princesse. Il perçut les échos d'une conversation pour le moins animée, provenant sans doute de la chambre de la jeune fille :

– Non, non, non, ne compte pas sur moi…

C'était la voix de la fée Rosette, la marraine de Zélina. Belzékor fit la moue : il se serait volontiers passé de cette petite gêneuse !

– Mais je l'ai vu, marraine, de mes yeux vu dans la lunette de monsieur Belzékor ! cria Zélina. Elle était là, tout contre lui !

– Tu es bouleversée, ma pauvre chérie…

– Oh, arrête de me plaindre, et aide-moi plutôt ! C'est tout ce que je te demande.

– Je ne te reconnais plus, Zélina…, lâcha Rosette soucieuse. Par pitié, ne te laisse pas gagner par la jalousie !

Un rictus agita la moustache de Belzékor. Pour la première fois de sa vie, il loua la sagesse de la petite fée. Il tendit de nouveau l'oreille. Rosette sembla se radoucir :

– Écoute, tout cela n'est peut-être qu'un malentendu. Attends demain et explique-toi avec Malik.

— Il n'y a rien à expliquer! s'écria Zélina. Il m'a menti, il m'a trahie, il m'a humiliée, et toi, tu voudrais que je fasse comme s'il ne s'était rien passé? Il n'en est pas question!

Le démon entendit un bruissement d'ailes et la voix de Rosette qui s'éloignait:

— Ma petite, quand tu auras chassé de ton cœur toutes ces vilaines pensées, appelle-moi, et je reviendrais te voir. Mais, d'ici là, débrouille-toi toute seule!

Le départ de Rosette laissa la petite princesse
sincèrement désemparée ! Belzékor décida alors de
passer à l'action. Il s'approcha de la chandelle et
regarda un instant sa faible lumière vaciller. Puis il
serra entre ses mains le poignard dans son habit de
velours et ferma doucement les yeux. Son ombre
inquiétante se mit à danser sur la porte du boudoir.
Elle tournoya un instant entre les moulures
dorées avant de se laisser aspirer par le
trou de la serrure. Passé l'autre
côté, l'ombre obliqua vers le
plafond et se glissa sans
un bruit jusqu'à un coin
de la chambre, où elle
se tapit, immobile.

Zélina se tenait
devant la fenêtre,
les dents serrées, le
regard fixé sur le bef-
froi d'Obéron. Elle ne
vit pas la tache noire

s'élever dans sa chambre, s'étirer au-dessus de sa tête et s'enrouler le long des rideaux brodés de son lit à baldaquin. Elle ne vit pas plus l'ombre menaçante poser sur son couvre-lit une pièce de velours sombre pliée et en écarter légèrement les pans soyeux avant de s'évaporer. Non, elle ne vit rien de tout cela tant elle était absorbée par sa colère.

Une fois dans le couloir, Belzékor ouvrit les yeux. Il contempla avec satisfaction ses mains vides. Son terrible piège était maintenant tendu, et Zélina n'allait pas tarder à tomber dedans !

Le pouvoir du poignard

Rosette ne voulait pas l'aider? Eh bien, Zélina se passerait d'elle! Ce mufle de Malik ne perdait rien pour attendre : on ne se moquait pas impunément de l'héritière du royaume de Noordévie! Mais comment se venger? En lâchant un troupeau de souris affamées dans sa chère bibliothèque? En transformant sa précieuse collection d'herbes des champs en une soupe fumante? Non, tout cela restait encore trop gentil… Mais la petite princesse n'était pas assez cruelle pour imaginer d'autres

représailles. Désespérée, elle se détourna de la fenêtre. C'est à ce moment-là qu'elle vit quelque chose briller sur son lit.

– Tiens…

Zélina se pencha. Quel objet bizarre ! Qu'est-ce que cela pouvait bien être ? La jeune fille écarta le velours noir et découvrit le poignard de cristal. Comment cette arme mystérieuse était-elle arrivée sur son lit ? La princesse s'interrogea quelques secondes, puis elle saisit le poignard et se précipita à la fenêtre pour appeler sa marraine. Rosette saurait peut-être ce que tout cela signifiait. Mais, alors que Zélina s'apprêtait à crier son nom, un froid étrange et pénétrant envahit sa main. Elle ouvrit la bouche, mais aucun son n'en sortit.

– …

Dans le couloir, l'exécrable Belzékor avait de nouveau collé son oreille contre la porte. Il se pourléchait les babines avec délectation :

– Allez, vas-y, serre le poignard, ma petite princesse. Serre-le bien fort ! Ah, ah, ah !

Tel un poison, le pouvoir maléfique du poi-
gnard se répandit peu à peu dans les veines de
Zélina. Il s'infiltra tout d'abord dans le bras de la
jeune fille, puis dans le reste de son corps. Quelque
chose de terrible et de malfaisant était en train de
s'emparer d'elle. La petite princesse essaya de
résister de toutes ses forces… Mais la chose était
tellement plus puissante qu'elle ! Ses yeux s'injec-
tèrent de sang, ses tempes se mirent à bourdonner,
et tout devint confus dans sa tête. Tout, sauf la

haine implacable qu'elle éprouvait pour Malik de Loftburg… Lentement mais sûrement, cette haine submergea toutes ses pensées.

– Il faut qu'il paie…, grogna-t-elle.

Une lueur folle embrasa son regard :

– et pour ça, je suis prête à tout!

Zélina se raidit. Elle comprit que l'abominable feu qui la dévorait ne cesserait pas tant qu'elle n'aurait pas plongé cette lame dans le cœur de ce traître de Malik et de sa nouvelle aimée. Le plus tôt serait le mieux. Et, comme elle savait où les trouver…

La princesse serra le poignard contre sa poitrine. Au même instant, dans le couloir, Belzékor leva les bras au ciel dans un geste théâtral. Ses lèvres violacées laissèrent échapper un sinistre borborygme. Un courant d'air glacé souffla la faible flamme de la chandelle, et les portes des appartements de Zélina s'ouvrirent comme par magie…

Zélina possédée

Le regard fixe, Zélina descendit le grand escalier du palais d'un pas mécanique. Elle traversa la galerie des glaces dans un grand froissement de soie et sortit dans le jardin sans même reprendre son souffle. Ses mains pâles serraient toujours le funeste poignard de cristal contre sa poitrine.

Sur ses courtes jambes, Belzékor avait bien du mal à suivre la princesse. Pourtant, le démon ne devait sous aucun prétexte la perdre de vue, car il

fallait éviter à tout prix que quelqu'un se mette en travers du chemin de sa jeune victime. D'un claquement de doigts, c'était lui qui ouvrait les portes devant ses pas, lui qui détournait d'elle les yeux trop curieux.

– Pff… je n'aurais jamais dû abuser de ces délicieux petits pâtés, soupira-t-il, en nage.

Zélina franchit le lourd pont-levis du château. En temps normal, les gardes royaux en faction sous la herse ne l'auraient jamais laissée passer et descendre seule à Obéron. Mais, ce soir, personne ne se présenta pour l'arrêter. Elle ne s'en rendit même pas compte, absorbée qu'elle était par ses sinistres projets. Consumée par sa fureur, la princesse traversa au pas de course la ville, rendue déserte par la magie toute-puissante du démoniaque

Belzékor. Elle retrouva sans peine la discrète porte du beffroi et escalada quatre à quatre les marches raides et glissantes.

— Vengeance !

Arrivée au sommet, la jeune fille aperçut Malik et sa rivale. Penché sur le muret de brique, le bel étudiant faisait admirer les splendeurs d'Obéron à sa nouvelle conquête.

Malgré la pleine lune qui étincelait au-dessus de leurs têtes, les deux tourtereaux ne virent pas Zélina, tant ils étaient émerveillés devant le magnifique spectacle

qui s'offrait à eux. Une terrible bouffée de haine submergea la princesse bafouée, qui brandit son poignard :

– Vengeance !

Un rayon de lune frappa la lame et la fit miroiter dans la nuit. Zélina leva machinalement les yeux vers elle. Elle y découvrit alors avec terreur son regard complètement fou. Non, ce n'était pas possible, ce n'était pas elle qu'elle voyait dans ce

reflet plein de haine! Épouvantée, la pauvre jeune fille essaya d'ouvrir ses doigts, de jeter cette arme maudite. Mais sa main refusa de lui obéir. Dans sa tête, une petite voix doucereuse mais ferme ne cessait de lui répéter : «Tu détestes Malik... Pense à tout le mal qu'il t'a fait... Tu te sentiras tellement mieux quand tu te seras vengée... car tu veux te venger!»

Au prix d'un effort insensé, la princesse puisa au plus profond d'elle-même et réussit à desserrer les dents :

– Nooon! Je ne veux pas!

L'emprise du sortilège se relâcha l'espace d'une seconde. Avec l'énergie du désespoir, Zélina lança le poignard de cristal le plus loin possible. Il éclata en mille morceaux en heurtant les briques de la terrasse. Vidée de toutes ses forces, la princesse tomba à genoux en sanglotant. Quel horrible cauchemar! Bien sûr, elle en voulait énormément à Malik ; mais comment en était-elle arrivée à le haïr au point de vouloir le tuer ? Zélina regarda tristement les éclats

brillant sur le sol. C'était certainement cet étrange poignard de cristal qui avait réussi à posséder son esprit. Mais qui avait pu poser cet objet diabolique sur son lit ?

Le cri déchirant avait fait sursauter Malik et la belle inconnue. Effondré de découvrir sa princesse adorée dans cet état, le jeune homme se précipita vers elle. Ses bottes de cuir crissèrent sur les petits bouts de cristal qui jonchaient le sol…

L'inconnue sur la terrasse

Malik se pencha sur Zélina :

– Mais, mon amour… Que faites-vous ici ?

– Votre amour ? répéta Zélina avec une ironie désespérée.

– Vous n'êtes pas blessée, au moins ? Vous avez dû rater la marche, dit le jeune homme en tendant son bras.

Zélina déclina l'aide que lui proposait Malik et se releva toute seule en secouant sa belle robe. Le

jeune homme ne s'en offusqua pas.

– En tout cas, je suis très heureux que vous soyez là !

Heureux ? Zélina ne comprenait plus rien. Elle regarda la jeune fille d'un air soupçonneux. Bizarrement, il n'y avait aucune hostilité dans le regard de celle-ci, seulement beaucoup de surprise, et une pointe de curiosité… Malik, lui, ne se rendit pas compte de cet échange de regards. Il était visiblement aux anges :

– Ma Zélina, vous tombez bien…

Il se tourna vers l'inconnue :

– Je voudrais vous présenter quelqu'un de très cher à mon cœur…

Ah non ! Zélina fronça les sourcils. Cela n'empêcha pas Malik de prendre la main de la jeune fille et de l'inviter à se joindre à eux. L'inconnue était un peu plus grande que la princesse. Les magnifiques cheveux d'or qui tombaient en vagues sur ses épaules encadraient un visage très doux ; au-dessus d'un nez parfait brillaient de grands yeux d'une intelligence rare. Ce visage rappela vague-

ment quelqu'un à Zélina ; mais sa mémoire était trop troublée pour réussir à y associer un nom. Malik, tout sourire, passa le bras autour de l'épaule de la demoiselle.

– Mon amour, je vous présente ma sœur, Isild… Isild, je suis très heureux de te présenter ma Zélina !

Stupéfaite, Zélina écarquilla les yeux. Sa sœur ? Et dire que… Voilà pourquoi ses traits lui étaient familiers ! Malik poursuivit :

– Isild a pris beaucoup de risques pour venir me voir à Obéron. Voyez-vous, ma chérie, ce n'est pas très simple de traverser clandestinement la Noordévie quand on est la fille du roi de Loftburg… C'est pour cela que j'étais si inquiet cet après-midi !

La belle jeune femme fit une révérence avant de passer affectueusement la main dans les cheveux de Malik.

– Vous me comprenez certainement, chère princesse. Je n'en pouvais plus d'être séparée de mon

petit frère chéri ! Imaginez : je ne l'ai pas vu depuis plus d'un an !

Zélina pouvait très bien l'imaginer. Isild raconta :

– Dans ses lettres, mon frère ne parle que de vous : ma chère Zélina par-ci, mon adorable Zélina par-là ! Et voilà que je vous rencontre enfin...

À son tour, Zélina fit une belle révérence à Isild. Sa jolie bouche esquissa enfin un sourire :

– Malik m'avait caché qu'il avait la chance d'avoir une sœur aussi charmante que vous !

– Mais comment nous avez-vous trouvés ?

Zélina respira un grand coup :

– C'est une longue histoire !

Et elle se lança. La petite princesse révéla comment elle les avait vus dans la lunette de monsieur

Belzékor et comment elle avait senti la jalousie monter en elle. Toutefois, elle ne parla pas du poignard ensorcelé. Ce fut au tour de Malik de froncer les sourcils.

– Comment avez-vous pu douter de moi ?

– Avec ce que j'avais vu ? Et puis, je n'étais plus moi-même…

Zélina serra son beau Malik contre son cœur.

– J'ai honte… Je vous aime tant que je préférerais mourir plutôt que de vous perdre.

Isild tapota affectueusement l'épaule de son frère :

– Malik, tu as encore beaucoup à apprendre sur les femmes… Si j'avais été à la place de mademoiselle Zélina, mon sang aussi n'aurait fait qu'un tour !

Attention, chute de démons !

Accroché telle une araignée au mur du beffroi, Belzékor n'avait rien raté de ces aveux touchants. Le démon écumait :

– Grrr… Mon plan était pourtant génial ! Pourquoi a-t-il fallu que cette petite péronnelle ait des états d'âme ?

Tout à sa colère, le nabot n'entendit pas Urtykor se glisser hors de la gouttière et ramper jusqu'à lui. Le vieux démon lui tapota l'épaule :

– Tu me rends mon poignard ?

Ce fut la goutte d'eau qui fit déborder le vase.
Belzékor se retourna, hors de lui :

– Oh, toi, fiche-moi la paix…

La réponse ne satisfit pas Urtykor, qui saisit
Belzékor par le col :

– Écoute, l'avorton, je crois que nous ne nous sommes pas compris...

Et le grand démon efflanqué se mit à secouer le petit démon obèse comme un prunier. Déséquilibré, ce dernier lâcha prise, et les deux créatures furent précipitées dans le vide...

Sur la terrasse du beffroi, on entendit un bruit de corps rebondissant sur le pavé et une série de jurons bien sentis. Isild se pencha au-dessus du petit muret de briques.

– Oh, ce sont sans doute ces deux horribles bonshommes qui se disputent...

Zélina se précipita vers elle et s'écria :

– Quels horribles bonshommes ?

La sœur de Malik pointa le coin de la grand-place avec son doigt. Mais il était vide.

– Je suis désolée, ils viennent de disparaître dans cette ruelle sombre, là-bas...

La belle Isild se redressa.

– Mais, dites-moi, il ne me semble pas con-

naître votre parfum…

La coquette Zélina rosit de plaisir :

– C'est un mélange de violette, de jacinthe et de miel d'amandier que l'on me prépare à Ysambre… Vous l'aimez ?

– Aimer ? Je le trouve tout simplement divin ! s'extasia Isild.

Ravie, Zélina promit :

– Alors, c'est avec grand plaisir que je vous en offrirai un flacon…

C'était maintenant au tour de Malik d'être décontenancé face à la complicité naissante entre les deux jeunes filles. Isild s'en rendit compte. Elle se pencha à l'oreille de son frère cadet et lui glissa :

– Embrasse-la, idiot… Elle en a grand besoin, et toi aussi !

– Mais…

La belle princesse de Loftburg releva la tête :

– Je n'ai pas encore admiré votre palais comme il le mérite, Mademoiselle…

Et elle s'éloigna ostensiblement pour aller s'accouder, faussement rêveuse, de l'autre côté de la terrasse. Zélina plongea ses yeux dans ceux de Malik :

– Me pardonnerez-vous d'avoir douté de vous, mon amour ?

– Mmm… comment pourrais-je vous en vouloir de m'aimer ?

– Alors, murmura Zélina en fermant les yeux, obéissez à votre sœur !

Jamais les lèvres de Malik n'avaient eu autant de saveur pour Zélina. Elle pensait l'avoir perdu pour toujours, et voilà qu'elle le retrouvait inchangé, et toujours aussi amoureux. La princesse se laissa aller… Que c'était bon ! Après un baiser passionné, Zélina et Malik rejoignirent Isild.

Le jeune étudiant tenait sa princesse par la taille.

— Mademoiselle, je vous prie de me pardonner de vous avoir accusée ainsi, dit la jolie princesse, penaude.

Mais la sœur de Malik éclata d'un beau rire cristallin :

— Vous n'avez pas à vous excuser, vous ne pouviez pas savoir… À votre place, j'aurais agi comme

vous! Et puis, s'il vous plaît, appelez-moi Isild, tout simplement…

Émue, Zélina tendit la main vers la jeune femme, qui la prit avec joie.

– Merci, Isild… Je croyais trouver ici une rivale, et je me découvre une amie!

Dans la même collection

Deuxième édition

Couleurs : Franck Gureghian. Illustrations 3D : Mathieu Roussel.

© Bayard Éditions Jeunesse, 2004
3, rue Bayard, 75008 Paris
Princesse Zélina est une marque déposée par Bayard.

Dépôt légal : février 2004
Loi 49956 du 16 juillet 1949 sur les publications destinées à la jeunesse
Reproduction, même partielle, interdite
Imprimé par Lesaffre, Belgique

Imprimé en Belgique
N° d'Impression : L91945